Kazuo Iwamura

L'hiver
de la famille Souris

l'école des loisirs
11, rue de Sèvres, Paris 6ᵉ

Le vent souffle. Dans la forêt une petite lumière fait un rond

jaune sur la neige : c'est la fenêtre de la famille Souris.

Autour du poêle qui chauffe la maison, tout le monde est très occupé.

Les uns taillent des bambous, les autres dessinent.

«Je vais à la cuisine», dit Benjamin. Lui aussi travaille beaucoup

car il transporte toutes sortes de choses dans son petit camion.

Sauf la poupée de Petite sœur, ici aussi on est occupé. « Viens-tu

nous aider à fourrer les chaussons de confiture de fraises ? »

Petite sœur est fâchée : « Benjamin a pris ma poupée ! »

« Si tu rends la poupée je te donnerai quelque chose à livrer », dit Maman.

Le marteau frappe sur les clous. «Je termine la deuxième

luge : elle sera pour nous deux », dit Grand-père à Benjamin.

« Et toi, Papa, que fais-tu ? » « Un jeu pour les grands. Si tu veux

nous aider, Benjamin, cherche le pion jaune qui a disparu ! »

« À table ! c'est l'heure du goûter ! Attention, tiens le plateau droit,

es chaussons aux fraises vont tomber ! »

« Benjamin, tu exagères ! C'est deux par personne ! »

« Surtout qu'il en a déjà reçu un dans la cuisine », dit Petite sœur.

Après le goûter, ils jouent aux petits chevaux. L'équipe des verts gagne

enjamin a eu les yeux plus grands que le ventre.

«Nous sommes les plus forts!» crient les verts. Les bleus sor

n peu tristes. «Le soleil brille. Si on sortait?» dit Grand-mère.

La famille Souris, tout emmitouflée, sort de sa maison

« Par ici ! Je connais un chemin qui descend vite », dit Grand-père.

Et voici les quatorze souris qui font de la luge

en poussant des petits cris.

En voilà onze par terre. « J'ai le bout de nez gelé »,

dit Grand-mère. « Moi aussi ! » dit Papa. « Si on rentrait ? »

«Bonsoir, Bonhomme de neige!» disent Papa et Benjamin.

« Le poêle est chaud, nos lits sont doux : nous allons nous coucher… »

Adapté du japonais par Irène Schwartz et Nicole Coulom
Maquette : Takahisa Kamijo
© 1986, l'école des loisirs, Paris pour l'édition en langue française
© 1985, Kazuo Iwamura
Titre original : « Jûyon-hiki no Samui Fuyu » (Doshinsha, Tokyo)
Agence littéraire : Japan Foreign-Rights Centre
Loi numéro 49 956 du 16 juillet 1949 sur les publications
destinées à la jeunesse : 1986
Dépôt légal : septembre 2019
Imprimé en France par SEPEC à Péronnas – 22987190806
ISBN 978-2-211-01443-4